D1094465

# Embarazo

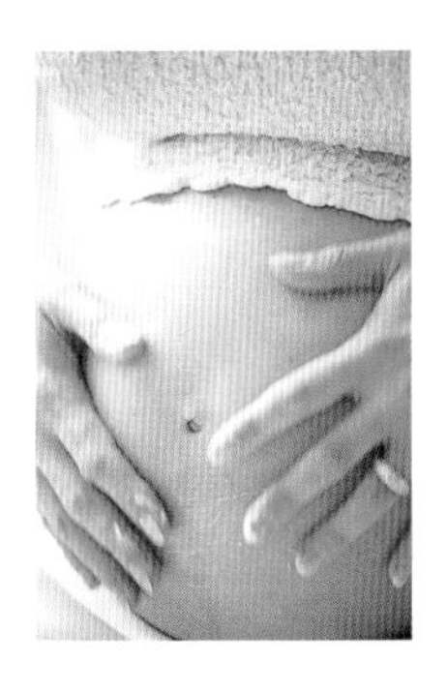

## *Guía útil*

# Embarazo

## *Guía útil*

**Dra. Carol Cooper**

**Grijalbo**

Título original: *Pregnancy Essentials*

Primera publicación en Reino Unido en 2008 por Ryland Peters & Small



DISEÑO Liz Sephton
EDICIÓN Henrietta Heald
BÚSQUEDA ICONOGRÁFICA Emily Westlake
PRODUCCIÓN Gemma Moules
DIRECCIÓN EDITORIAL Alison Starling



Fotocomposición: puntgroc, s.l.

ISBN: 978-84-253-4291-2

Impreso y encuadernado en China

G R 4 2 9 1 2

# SUMARIO

# INTRODUCCIÓN

Las futuras madres (y los futuros padres) desean saber todo lo posible sobre su bebé en desarrollo y lo que ocurre en cada etapa de la gestación. También hay muchos cambios que tienen lugar en el propio cuerpo de la mujer. Algunos se reciben bien, pero otros, como las hemorroides, son una verdadera molestia y, francamente, muy poco aconsejables. Existen además problemas como la incompatibilidad de Rh y la preeclampsia, y, aunque lo más probable es que en tu embarazo no tropieces con ninguno de estos, es bueno que sepas en qué consisten.

Toda esta información, y más, se incluye en este libro. Encontrarás la información esencial distribuida en pequeños recuadros, lo cual resulta ideal si se tiene en cuenta la falta de concentración de la que muchas futuras mamás se quejan.

He tratado de no omitir la parte divertida. Al fin y al cabo, el embarazo se inicia con sexo, lo cual es agradable, y termina abrazando a tu propio bebé, que es el principio de la etapa más emocionante de tu vida. Tu hijo efectúa un corto recorrido por un túnel oscuro y húmedo, y tú comienzas un viaje maravilloso.

Disfruta de semejante aventura.

CAROL COOPER

# UN GRAN COMIENZO

Un bebé es lo más complejo y lo más interesante que jamás podría crear una persona. Para construir una nueva vida, hacen falta unos cimientos sólidos.

Durante un período de ocho meses y medio (o 266 días) de gestación, una célula diminuta se convierte en un ser humano pequeño pero complejo. De cómo la futura madre viva durante los meses de su desarrollo dependerá en gran medida el resultado.

# Comida y bebida

No tienes que «comer por dos», sino seguir una **dieta equilibrada**, con cinco raciones diarias de **fruta y verdura**, muchas **proteínas** como las de la carne y el pescado, y muchos **lácteos**. Además de fibra, proteínas y vitaminas (incluido el ácido fólico), las embarazadas necesitan hierro y calcio.

Los **hidratos de carbono** se asimilan mejor en su **forma compleja** tal como se encuentran en las patatas y el pan integral. Limita la ingesta de hidratos de carbono simples, como dulces y galletas.

Los alimentos bajos en grasas suelen ser saludables, pero tu hijo necesita ácidos grasos esenciales, en especial ácidos grasos poliinsaturados de cadena larga para el cerebro y la vista. Los encontrarás en el aceite de girasol, el aceite de prímula, el pescado azul y la soja.

Aunque el pescado azul es bueno, las especies grandes como el tiburón y el atún pueden tener mucho mercurio, que podría resultar tóxico para tu bebé. En su lugar elige la **caballa**, el **arenque** y la **sardina**.

## ALIMENTOS QUE SE HAN DE EVITAR

- Los quesos blandos, como el brie y el camembert, y los azules pueden contener listeria, una bacteria perjudicial para el bebé.
- El paté y los alimentos precocinados con el sistema *cook-chill* (a menos que cuezas estos últimos a alta temperatura): también pueden contener listeria.
- La carne cruda o poco hecha, los lácteos no pasteurizados y las verduras y frutas sin lavar pueden contener un parásito llamado toxoplasma, que conlleva cierto riesgo de aborto y defectos de nacimiento; la carne poco hecha contiene *E. coli*; y si es de ave, puede contener además campylobacter (ambas bacterias causan intoxicación alimentaria).
- El hígado y sus derivados contienen demasiada vitamina A.
- Los huevos crudos o poco hechos pueden contener salmonela.
- El pescado crudo, las ostras, las gambas y el marisco en general también pueden contener salmonela y campylobacter.

### lo que debes saber sobre... los frutos secos

Si se tienen antecedentes familiares de alergia, asma o eccema, es aconsejable evitar el consumo de frutos secos durante el embarazo, para así evitar que tu bebé se vuelva hipersensible a ellos antes de nacer. Esta es la mejor información de que se dispone en el momento de la publicación de este libro.

## ALCOHOL

El consumo elevado de alcohol durante el embarazo es peligroso para el futuro bebé. No obstante, hay un intenso debate sobre el consumo social. Aunque hay pocas pruebas de que una, dos o incluso tres copas a la semana resulten perjudiciales, muchas mujeres apuestan por la seguridad y siguen las actuales directrices del gobierno, que aconseja evitar por completo el consumo de alcohol durante el embarazo.

## TABACO

Sobre este tema no hay debate que valga: fumar durante el embarazo roba oxígeno a tu bebé. Aumenta el riesgo de sufrir un aborto y de que el niño sea prematuro o nazca con bajo peso y problemas de salud. Por mucho que cueste dejarlo, el esfuerzo merece la pena.

## FÁRMACOS Y OTRAS SUSTANCIAS

Muchos fármacos atraviesan la placenta y llegan a tu bebé. El riesgo suele ser mayor durante los tres primeros meses de la gestación, pero hay sustancias que resultan nocivas en cualquier etapa. Consulta con tu farmacéutico, comadrona o médico antes de consumir un medicamento sin receta. Las mismas precauciones deben tomarse con las terapias complementarias, como la aromaterapia.

Las drogas, como puedes imaginar, son aún más peligrosas. Si eres consumidora, hazle un favor a tu hijo y pide ayuda a un especialista.

Si sigues algún tratamiento de larga duración, por ejemplo para la diabetes o la epilepsia, quizá tengas que cambiarlo; pero no lo dejes sin consultar con el médico.

## SUPLEMENTOS

El ácido fólico, una clase de vitamina B, ayuda a prevenir la espina bífida y otros defectos del tubo neural, así como la fisura del paladar (labio leporino). Por eso las mujeres han de tomar un suplemento diario de 400 mcg de ácido fólico, a ser posible desde antes de la concepción hasta las trece semanas de gestación.

## EJERCICIO

- El ejercicio regular ayuda a mitigar el estreñimiento y otras molestias debidas al embarazo. También puede acortar el parto y facilitar el nacimiento.
- Lo normal es que puedas seguir practicando tu ejercicio favorito, excepto si es un deporte de contacto; pero no emprendas ninguna actividad nueva que resulte fatigosa.
- Bebe suficiente agua y evita el acaloramiento excesivo, pues puede resultar perjudicial para tu bebé.

## ESTRÉS Y ESFUERZO

El estrés puede perjudicar al feto, probablemente porque eleva sus niveles de cortisol, la hormona del estrés. Es posible que por ello a veces el estrés grave se asocie a bebés prematuros o con bajo peso al nacer. No siempre podrás evitarlo, pero vale la pena tratar de reducirlo y tomarse las cosas con calma en lugar de exaltarse.

# LOS PRIMEROS MESES

*El primer trimestre — hasta la semana 12 inclusive*

Las apariencias engañan, y durante los primeros meses del embarazo no se aprecia gran cosa desde el exterior. Sin embargo, dentro de tu vientre tu bebé está tomando forma. No es de extrañar que la mayor parte del tiempo te sientas agotada.

# semana 3

La historia empieza en la tercera semana, porque en la primera todavía no estás embarazada. Los embarazos se cuentan desde **el primer día de la última regla** de la madre; pero la concepción suele tener lugar unas dos semanas después, cuando **300 millones de espermatozoides practican la cita rápida**, y el ganador se fusiona con tu óvulo.

Hacia la tercera semana, el **óvulo fecundado** se abre camino en la pared del útero. También se **divide rápidamente**. Para cuando se implanta en el útero, ya lo forman unas 200 células. Además, se han empezado a diferenciar en él **dos partes**: la interior se convertirá en tu bebé y la exterior será la **placenta**, es decir, el sistema que lo mantendrá con vida.

# semana 4

Ahora tus ovarios producen más **progesterona**. Esa hormona detiene la expulsión de la membrana que reviste el útero y, con ella, el bebé.

Mientras tanto, tus **gustos cambian**. Puede que deje de apetecerte el café, o que notes un sabor metálico en la boca.

## toda la verdad sobre... los gatos y la jardinería

Si tienes un gato, ya has encontrado la excusa perfecta para que sea otro quien se ocupe de limpiar los excrementos. En las heces de gato se encuentra el toxoplasma, un parásito potencialmente peligroso para tu hijo. Si tienes un jardín, utiliza guantes cuando lo arregles; o, mejor aún, paséate tranquilamente con un refresco en la mano mientras otro suda la camiseta

semana 5

# tu bebé

Tu pequeño embrión es un disco del **tamaño de la cabeza de una cerilla** y está formado por tres capas distintas.

- La más externa se llama **ectodermo**, y se convertirá en el cerebro, el sistema nervioso y la piel de tu bebé.
- La más interna, o **endodermo**, formará algunos órganos como los pulmones, el hígado y los intestinos.
- La capa intermedia, llamada **mesodermo**, se convertirá en huesos y músculos.

Durante las semanas subsiguientes, las tres capas del pastel se doblarán y redoblarán repetidas veces para formar con todo detalle un ser humano. El proceso empieza en la quinta semana, cuando el disco se enrolla y forma un cilindro con una cabeza y una cola. Para entonces, tu pequeño mide aproximadamente **1,5 mm**.

# tu cuerpo

A estas alturas, puede que notes cierta presión en la parte baja del abdomen, una sensación idéntica a la del inicio de la regla. No tienes de qué preocuparte. Todo se debe a que tus órganos pélvicos están congestionados.

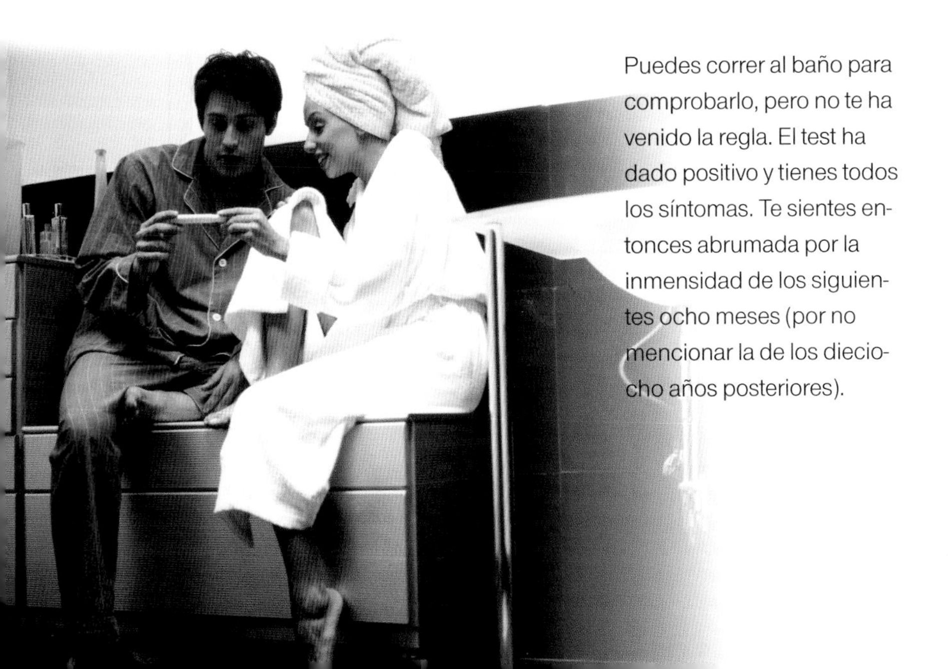

Puedes correr al baño para comprobarlo, pero no te ha venido la regla. El test ha dado positivo y tienes todos los síntomas. Te sientes entonces abrumada por la inmensidad de los siguientes ocho meses (por no mencionar la de los dieciocho años posteriores).

# lo que ocurre en el interior

Tu embrión tiene una forma particular. La cola le da un ligero aspecto de **caballito de mar**, pero sin hocico.

Empieza el complejo proceso de plegado del ectodermo, que acabará convirtiéndose en **el cerebro y el sistema nervioso**. En un extremo, la protuberancia del **cerebro** ya se está formando.

En el rostro, **los ojos y las orejas** no son más que fosas diminutas.

Todavía no tiene extremidades, solo una especie de **brotes**, dos superiores y dos inferiores.

Hacia el final de la semana, la longitud total de tu bebé (que se conoce como **longitud céfalo-nalgas** o LCN) es de unos **4 mm**.

## toda la verdad sobre... las náuseas matutinas

Se llaman náuseas matutinas porque los médicos piensan que desaparecen antes del mediodía, pero no es cierto. Pueden durar todo el día, y empeoran con los olores fuertes y el movimiento (como el de un viaje en autobús).

La causante es la hormona hCG, producida por la placenta. Los niveles de hCG tienden a aumentar cuando el crecimiento de tu bebé progresa, así que tómatelo con calma.

- Come pequeñas cantidades y a menudo.
- Prueba a añadir jengibre fresco a los sofritos, o bien con té o galletas de jengibre.
- Las muñequeras de acupresión también pueden servirte.
- Si no consigues retener ningún alimento, consulta con tu médico. Si la cosa es grave, pueden recetarte pastillas.

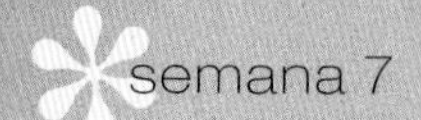



# lo que ocurre en el interior

A estas alturas, tu bebé ya tiene un **corazón** con cuatro cavidades que late a unas 150 pulsaciones por minuto.

Los **órganos sexuales** están formados, aunque los testículos no han descendido todavía.

Los brazos y las piernas parecen minúsculas aletas y pronto empezarán a realizar pequeños movimientos, pero tu hijo aún no controla sus miembros y tú no notas que se mueva. No es de extrañar, pues mide tan solo **5 mm**; es decir, que apenas supera el tamaño de una lenteja.

## lo que debes saber sobre... el aborto

Se suele decir que un veinte por ciento de los embarazos acaba en aborto, pero la incidencia es mucho más elevada porque a veces el aborto tiene lugar antes de que la mujer sepa que está embarazada.

- Los síntomas incluyen dolor y hemorragia. Si no dejas de sangrar, quizá tengan que vaciarte el útero, mediante anestesia general o con medicación.
- En muchos casos, la causa del aborto es desconocida. Muchas mujeres se culpan y se preguntan si podrían haber impedido que ocurriera; pero la mayoría de abortos son inevitables. Todo apunta a que se trata del despiadado método con que la naturaleza elimina a los bebés defectuosos.
- Sufrir un aborto no implica que vaya a haber otro. No obstante, si ya has tenido tres o más, deberían realizarte pruebas para descartar que se deba a algún problema sanguíneo que podría solucionarse con tratamiento.

# lo que ocurre en el interior

Ahora tu pequeño embrión mide entre **9 y 10 mm**. Está dejando de parecer un pequeño hipocampo y empieza a tener el aspecto de un humano en miniatura.

Si pudieras verlo, a través de la **piel transparente** observarías los entresijos de los vasos sanguíneos

El **labio superior** está formado. También tiene dos protuberancias que serán las orejas.

Los **miembros** son más largos y empiezan a tomar forma, con codos y muñecas. Los **dedos** de las manos y de los pies aparecen palmeados; la membrana de las manos desaparece antes que la de los pies.

Los **ojos** se encuentran a ambos lados de la cabeza, como los de un pez, lo cual es lógico si se tiene en cuenta que vive en un medio acuoso.

## lo que debes saber sobre… los síntomas

- El dolor de cabeza debido a cambios hormonales es frecuente durante el primer trimestre. Trata de evitar el cansancio excesivo y la deshidratación. Si necesitas medicación, el paracetamol tomado ocasionalmente no suele comportar riesgo.
- La hormona progesterona causa el estreñimiento. Para evitarlo, come más fruta y verdura y haz ejercicio con regularidad.
- Los pechos suelen estar doloridos y aumentar de tamaño. Cuanto mejor se desarrolle el bebé, más sensibles puedes notarlos.
- También es frecuente observar flujo vaginal, porque la vagina y el cuello del útero están congestionados y segregan más cantidad.
- El cansancio puede resultar extremo. Cuando no puedas más, relájate con un agradable baño templado (nunca caliente).

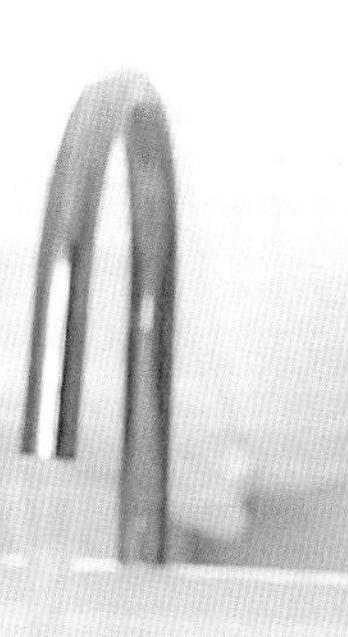

# lo que ocurre en el interior

La **espalda** de tu bebé está más recta y la «cola» de la sexta semana ha desaparecido. Durante la novena semana, crecerá hasta los 3 cm (longitud céfalo-nalgas).

Los **párpados** casi le cubren los ojos. La **mandíbula** ya está formada, y en el rostro ha aparecido una nueva protuberancia: la **nariz**.

Al final de los dedos se forma una pequeña **parte carnosa**.

Si todavía no has concertado ninguna cita con el ginecólogo, ha llegado el momento de hacerlo.

## lo que debes saber sobre… los gemelos.

Hay dos tipos de gemelos. Los idénticos se desarrollan cuando un óvulo fecundado se divide en dos al principio de la gestación, mientras que los no idénticos provienen de dos óvulos distintos. Los gemelos no idénticos pueden ser niño y niña, y no se parecen más que los hermanos corrientes.

- Si esperas gemelos, las molestias del principio del embarazo, y en particular las náuseas matutinas, pueden ser mucho peores. También se notará antes la barriga.
- Los embarazos múltiples suelen presentar más complicaciones, y el riesgo de preeclampsia y parto prematuro es más alto. Tu útero está diseñado para contener un solo ocupante, así que el crecimiento del feto puede verse limitado; por eso te realizarán ecografías frecuentes. Algunos gemelos idénticos también tienen cierto riesgo de padecer una alteración potencialmente grave conocida como síndrome de transfusión feto-fetal.
- Para compensar tantas molestias, la alegría tras el nacimiento de los gemelos es doble.

# la atención prenatal

La primera visita **prenatal** es larga. El ginecólogo o la comadrona tomarán nota de tu historial médico, personal y familiar. Obtendrás información sobre las **ecografías** y demás pruebas, y consejos sobre **cómo cuidarte**.

En la primera visita, o poco después, te practicarán un **análisis de sangre** para determinar tu **grupo sanguíneo** y el riesgo de sufrir una **anemia**, así como para descartar enfermedades como la hepatitis B y las de transmisión sexual, que podrían afectar a tu bebé. También te realizarán la prueba del VIH.

A partir de ahora, en cada visita comprobarán tu presión arterial y te examinarán el abdomen. Periódicamente, te practicarán más análisis de sangre y de orina, además de ecografías.

## lo que debes saber sobre... la primera ecografía

Las ecografías utilizan ultrasonidos para producir una imagen. Aunque esta sea borrosa, podrás distinguir fácilmente la silueta de tu bebé y el latido de su corazón.

La primera ecografía se practica entre la semana diez y la trece. Su principal objetivo es comprobar que el tamaño de tu bebé corresponde al normal según la fecha de tu última regla. En un quince por ciento de los casos, la fecha del parto vuelve a calcularse tras esa ecografía. El otro objetivo es comprobar si tu hijo trae compañía.

Normalmente, el centro te proporcionará una copia de la ecografía. Si deseas guardarla, haz una fotocopia o escanéala porque las imágenes térmicas desaparecen con el tiempo.

# lo que ocurre en el interior

Tu bebé **pesa unos 8 g** y **mide** tan solo **5 cm** (longitud céfalo-nalgas). Sin embargo, es una miniatura perfecta, pues tiene todos los órganos vitales: cerebro, pulmones, riñones, hígado e intestinos.

Tu bebé tiene los **dedos** separados. Casi todas sus **articulaciones** están **formadas** y se mueve mucho, de forma aleatoria.

Mientras tú has estado ocupada con los exámenes médicos, tu bebé se ha desarrollado a un ritmo acelerado. Ha dejado de ser un embrión; ahora ya es oficialmente un feto, palabra que significa «cría».

## lo que debes saber sobre… las pruebas prenatales

Las más corrientes sirven para detectar el síndrome de Down y la espina bífida (y defectos relacionados). Quizá te preguntes si deseas un AFP (análisis de alfafetoproteína en sangre) para detectar la espina bífida sobre la semana 16; pero la fecha exacta de las pruebas depende de tu lugar de residencia.

Las pruebas de exploración no son invasivas, pero solo sirven para revelar la probabilidad de que tu bebé tenga un problema concreto. A todas las embarazadas se les ofrecen pruebas para detectar el síndrome de Down, tales como análisis de sangre y una ecografía del pliegue nucal del bebé (translucencia nucal). La biopsia corial y la amniocentesis proporcionan un diagnóstico definitivo, pero se trata de técnicas invasivas.

Habla de las pruebas con tu ginecólogo y decide cuáles quieres que te practiquen, o si no deseas ninguna. Ten en cuenta que es mejor planificar las cosas por adelantado que esperar a decidir qué hacer cuando tengas los resultados.

# lo que ocurre en el interior

Tu bebé crece deprisa. Aunque solo pesa **14 g**, es más robusto. El grosor y la dureza de sus huesos son mayores, y mide 6 cm (longitud céfalo-nalgas), más o menos como un **kiwi**.

La placenta está completamente formada, pero sigue creciendo, igual que tu pequeño.

## CUÁNDO HACERLO PÚBLICO

Es posible que estés deseando dar la noticia. Pero, por otra parte, ¿no es maravilloso mantener en secreto que dentro de ti crece un bebé?

El final del primer trimestre es un buen momento para empezar a sacarlo a la luz.

De entrada, el riesgo de aborto disminuye de forma significativa después de la semana 13, así que parece menos arriesgado comunicarlo. De todos modos, la decisión es cosa tuya.

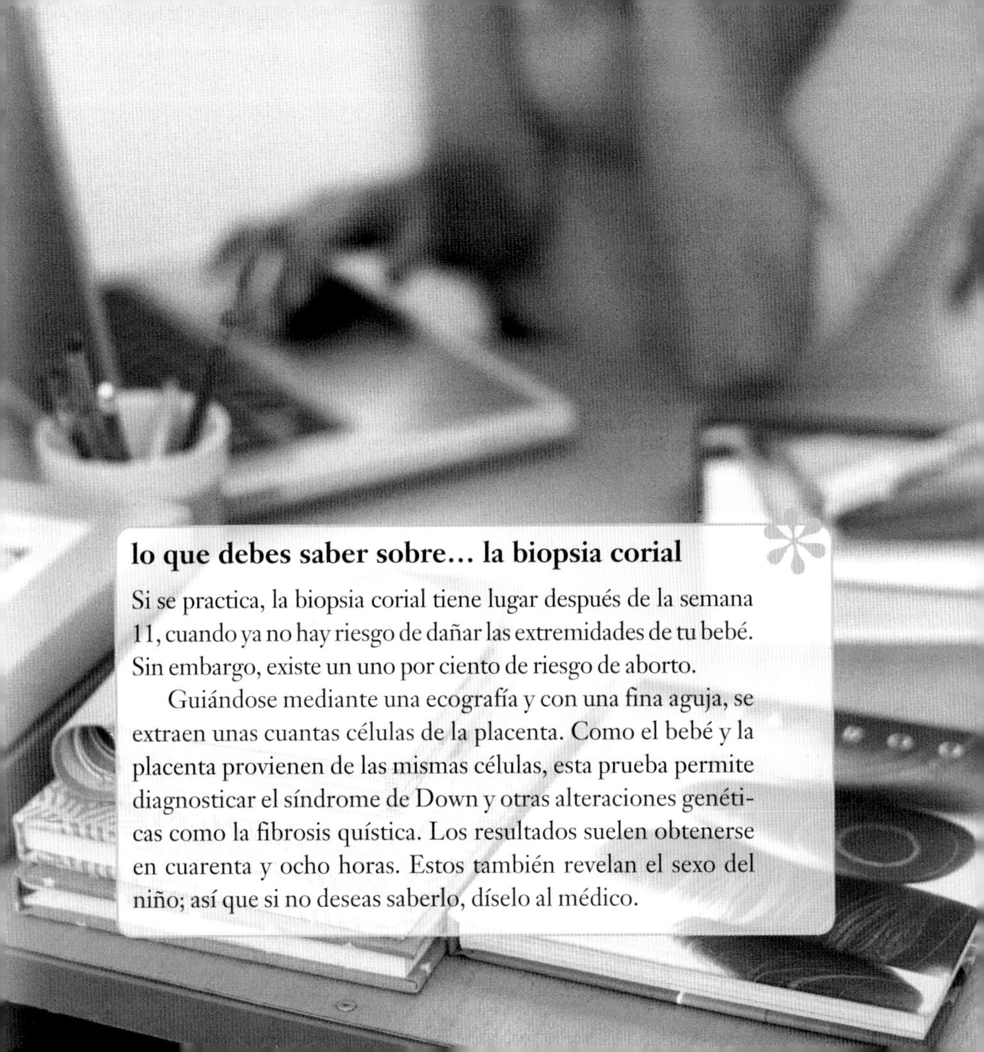

## lo que debes saber sobre… la biopsia corial

Si se practica, la biopsia corial tiene lugar después de la semana 11, cuando ya no hay riesgo de dañar las extremidades de tu bebé. Sin embargo, existe un uno por ciento de riesgo de aborto.

Guiándose mediante una ecografía y con una fina aguja, se extraen unas cuantas células de la placenta. Como el bebé y la placenta provienen de las mismas células, esta prueba permite diagnosticar el síndrome de Down y otras alteraciones genéticas como la fibrosis quística. Los resultados suelen obtenerse en cuarenta y ocho horas. Estos también revelan el sexo del niño; así que si no deseas saberlo, díselo al médico.

# UNA ETAPA MARAVILLOSA

*El segundo trimestre — de la semana 13 a la 27*

Esta es una época en que tu hijo aumenta de tamaño muy rápido, y tú también. Cada vez se te nota más la barriga, y es posible que incluso los desconocidos te dirijan amables sonrisas. Es probable que en estos tres meses te veas y te sientas estupendamente, así que aprovéchalos al máximo.

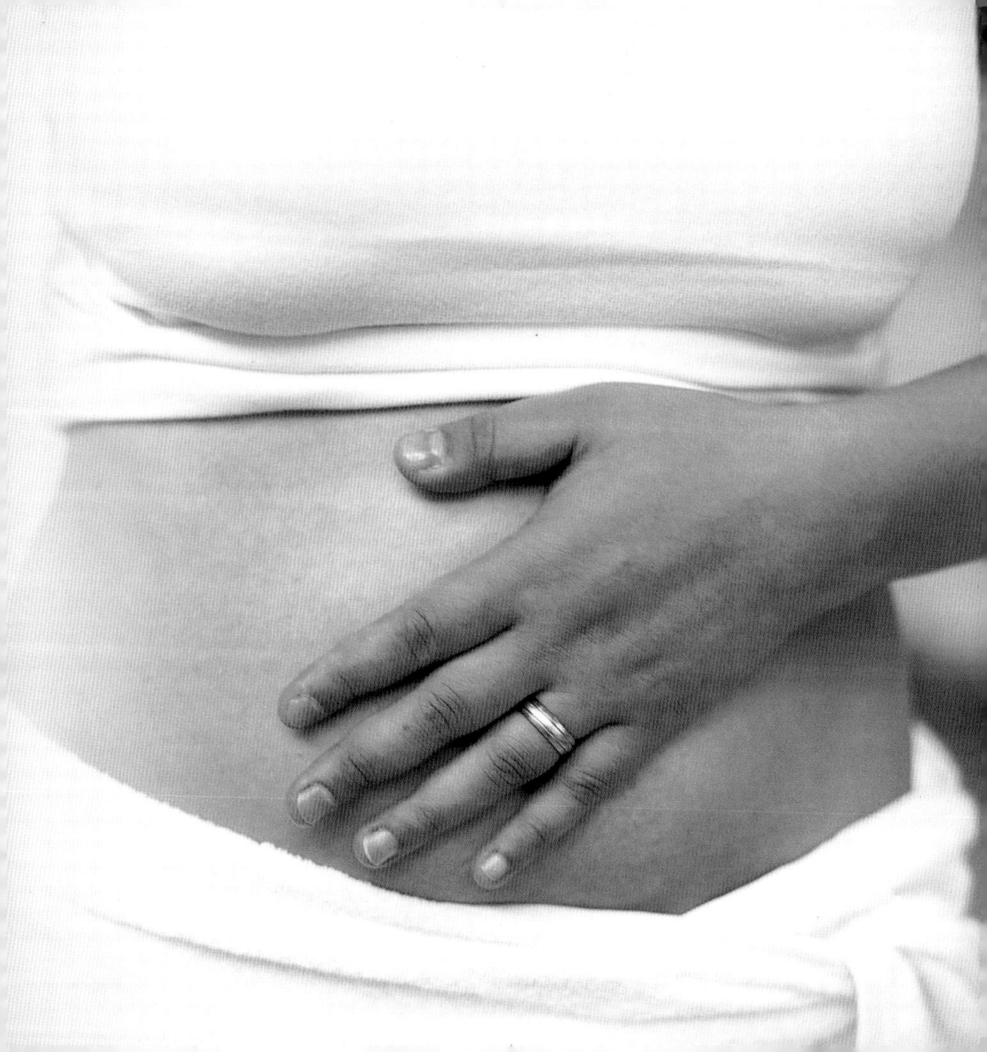

# tu bebé

Ahora tu hijo mide **7,5 cm** y pesa unos **20 g**. Tiene pequeñas **uñas** y el aspecto de un bebé en miniatura, del tamaño de un melocotón. Su cuello se está desarrollando y ya puede mover mejor la cabeza. También puede realizar **movimientos faciales**, e incluso abrir y cerrar la boca.

# tu cuerpo

Es probable que el **útero** (o, mejor dicho, su parte superior, que los médicos llaman «fundus») pueda **notarse** por encima de la pelvis.

Puedes dejar de tomar el suplemento de ácido fólico; ya que todos **los órganos de tu bebé están formados**, aunque no definitivamente.

Es posible que las náuseas matutinas hayan mejorado; pronto adquirirás un **aspecto radiante**.

## lo que debes saber sobre... tus registros prenatales

Si tienes curiosidad por conocer el significado de las abreviaciones de los términos médicos, aquí tienes algunos:

FUR Fecha de la última regla

FPP Fecha probable de parto

PA Presión arterial

HC Hemograma completo (análisis de sangre)

TTG Test de tolerancia a la glucosa

DBP Diámetro biparietal (el tamaño de la cabeza de tu bebé estimado en la ecografía).

# lo que ocurre en el interior

Tu bebé **mide 8 o 9 cm** y pesa nada menos que **25 g**.

Su cerebro y su sistema nervioso todavía no están conectados con sus músculos; por eso sus **movimientos** siguen siendo **aleatorios y reflejos**, aunque muy frecuentes. Está hecho todo **un gimnasta**.

Los riñones de tu bebé ya fabrican orina, que expulsa en el **líquido amniótico** que lo rodea dentro del útero. Si te preguntas adónde va a parar el pis... se lo traga.

Los genitales se desarrollan muy rápido, y pronto **el pene del bebé varón** resultará **visible en una ecografía**. Si no deseas saber el sexo de tu hijo, pídele al médico que no te diga nada al respecto.

## lo que debes saber sobre... los niños y las niñas

- Todos los óvulos de las mujeres contienen un cromosoma X. Si tu óvulo es fecundado por un espermatozoide que también contiene un cromosoma X, tendrás una niña (XX); si, en cambio, el espermatozoide que fecunda el óvulo contiene un cromosoma Y, tendrás un niño (XY).
- Nacen más niños que niñas, aunque hayan tantos espermatozoides con cromosomas X como Y.
- Los ovarios y los testículos empiezan a formarse alrededor de la novena semana. Hacia la semana 20, ya están completamente desarrollados.
- Si esperas un niño, su pene puede verse en las ecografías a partir de la semana 13, pero los testículos permanecen ocultos dentro de su vientre hasta la semana 30.

# tu bebé

Ahora tu bebé **mide 10 cm** y pesa unos **50 g**. Es más o menos del tamaño de **una naranja**, pero mucho más interesante.

Ya tiene facciones humanas y cuello. Los **ojos** se están volviendo **sensibles a la luz**, que distingue a través de la piel de tu barriga.

Si pudieras ver a tu pequeño, observarías su piel transparente y **una capa de fino vello**, llamada lanugo, que le cubre el cuerpo y la cabeza.

Sus huesos son en gran medida cartilaginosos, aunque en ellos se está acumulando el calcio que los endurecerá hasta convertirlos en **verdaderos huesos**. A medida que sus **músculos** se desarrollan, mueve los delgados brazos y piernas; pero tú todavía no lo notas. Ensaya **muchísimos movimientos**.

# tu cuerpo

Probablemente tienes la **piel suave** y **bien hidratada**, aunque puede que te salgan lunares y pecas, incluso manchas más grandes en el rostro a causa de la **pigmentación**. Esas manchas reciben el nombre de cloasma y suelen difuminarse tras dar a luz. Si notas algo especial, consulta con el ginecólogo, la comadrona o el médico de cabecera.

## cúbrete

El sol acentúa la pigmentación causada por el embarazo, por lo que resulta imprescindible utilizar una crema de protección solar. Cuanto más clara sea tu piel, más la necesitas. También te resultará útil un sombrero de ala ancha; si lo combinas con prendas vaporosas, estarás muy sexy.

# lo que ocurre en el interior

Tu bebé crece deprisa y sus piernas se están haciendo mucho más largas. De repente **pesa 80 g**.

Sus oídos se han desarrollado casi por completo y **ya puede oír tu voz**.

Sus neuronas empiezan a realizar conexiones del cerebro a la médula espinal, y de esta a los músculos. Por eso sus movimientos resultan **más coordinados**, aunque algunos, como el hipo, siguen siendo involuntarios.

## lo que debes saber sobre… la amniocentesis

- La amniocentesis consiste en la extracción de una muestra de líquido amniótico, junto con algunas células que tu bebé ha desechado. La cantidad de células es mayor tras la semana 16, que es cuando se realiza la prueba.
- La prueba se controla mediante una ecografía.
- El riesgo de aborto suele ser inferior al uno por ciento.
- Te propondrán practicarte la amniocentesis si alguna de las pruebas de exploración ha resultado positiva o si se cree que hay cierto riesgo de que tu bebé tenga alguna alteración cromosómica (genética), desde una anemia de células falciformes hasta un síndrome de Down.
- En algunos casos, la amniocentesis se utiliza para diagnosticar infecciones antes del nacimiento o para controlar si los pulmones del bebé se han desarrollado correctamente.
- Las células extraídas mediante la amniocentesis tienen que cultivarse en el laboratorio antes de analizar los cromosomas, por eso los resultados pueden tardar hasta tres semanas.

semana 17

# tu bebé

Ahora tu pequeño mide unos **12 cm** (como un aguacate) y pesa 100 g. Obtiene muchos nutrientes a través de la **placenta**, pero apenas tiene grasa. Por eso a medida que crece, **su rostro presenta un aspecto más alargado**.

Por otra parte, ya tiene un poco de pelo en la cabeza y le están saliendo **las cejas e incluso las pestañas**.

Utiliza sus rasgos, formados con todo detalle, para ensayar distintas expresiones.

Su caja torácica también está activa, pues **practica movimientos respiratorios**, aunque lo que aspira es líquido amniótico, no aire.

En resumen, esta es una etapa muy activa. No tardarás mucho en notar sus movimientos.

# tu cuerpo

Tu bebé progresa tanto, que no es de extrañar que se te claven las costuras de los tejanos. Necesitas ropa más holgada, o bien puedes optar directamente por la moda premamá. En el mercado hay una **gran variedad de prendas para futuras mamás**, y seguro que encuentras sin problemas las que se adaptan a tus gustos y a tu presupuesto.

Todavía no necesitas sostenes de lactancia, pero sí que necesitarás uno de talla mayor que la normal y que además sujete bien. **Un sostén adecuado es imprescindible** y, de hecho, es probable que aumentes una talla o dos varias veces durante el embarazo. Si eres de las que suelen lucir **escotes generosos**, prepárate para las miradas de admiración.

# lo que ocurre en el interior

Tu bebé pesa **150 g** y mide unos **13 cm**. La grasa empieza a acumularse en los lugares adecuados; de modo que cuando nazca, **estará para comérselo**. Parte de la grasa es «grasa parda», la cual forma una capa aislante que le servirá para **mantener el calor** cuando nazca.

Sus **huellas dactilares** se están formando, y eso lo convertirá en único. Incluso los gemelos idénticos las tienen distintas.

Está muy activo físicamente y es posible que incluso tenga su propio **biorritmo**. La lástima es que puede que este difiera del tuyo.

**En la parte más interna de su cerebro** se ha desarrollado una zona llamada tálamo. Eso significa que a partir de ese momento probablemente podrá **sentir dolor**.

## toda la verdad sobre... los altibajos emocionales

Prepararte para tener un hijo implica mucho más que someterte a exámenes prenatales y vestirte como si fueras una tienda de campaña ambulante. También debes adecuar tu estado de ánimo a la situación. En esta etapa sufrirás cambios emocionales debidos al batiburrillo hormonal del embarazo. Es posible que tengas la impresión de estar a punto de perder la cabeza.

El embarazo es un estado natural, pero para muchas mujeres también es una época de gran fluctuación emocional.

- Tómate las cosas con calma y no seas excesivamente estricta contigo misma.
- Si surgen problemas en tus relaciones personales, afróntalos con la mayor calma posible.
- Habla con tu comadrona o ginecólogo si algo te preocupa seriamente o te sientes deprimida.

# lo que ocurre en el interior

Tu bebé mide unos **14 cm** y pesa **200 g**. Además, hay unos 200 g de peso adicional: la placenta.

Tu bebé lleva ya cierto tiempo en tu vientre, pero aún le queda **otro tanto para llegar al término**. Para proteger su delicado cuerpo durante las semanas siguientes, las glándulas de su piel fabrican una sustancia densa y grasa de color blanco llamada «vérnix caseoso». Este forma una **capa impermeable** que haría las delicias de cualquier nadador de travesías. En el momento del nacimiento, todavía la tendrá.

A estas alturas empezarán a sobresalir los **pezoncillos**.

Dentro de sus mandíbulas empiezan a formarse las **raíces de sus dientes**, tanto de los de leche como de los definitivos.

## toda la verdad sobre... el atleta que llevas dentro

Movimientos natatorios, patadas, puñetazos: tu hijo los practica todos. A partir de este momento empezarás a ser consciente de su actividad. Al principio, no notarás más que una leve agitación, parecida a la que produce el viento. Sin embargo, en algún momento entre la semana veinte y la veinticuatro, no te cabrá duda de que lo que notas moverse es tu bebé.

Es posible que de noche se mueva más. No lo hace para molestarte, sino porque probablemente tu musculatura está más relajada y dispone de más espacio.

Muchas futuras mamás cuentan las patadas, pero no es necesario hacerlo. No obstante, si tu pequeño permanece quieto durante varias horas, no tardes en consultar con tu ginecólogo.

# lo que ocurre en el interior

A estas alturas **tu barriga** empieza 20 cm por encima de la pelvis. El pequeño ser que llevas dentro mide **15 cm** (longitud céfalo-nalgas), más o menos como un hermoso **mango**. Si en tu interior hubiera una balanza, esta se inclinaría hasta marcar aproximadamente **260 g**. De hecho, tu hijo ya **ocupa más espacio que la placenta**.

Controla mejor su cuerpo y puede realizar **movimientos intencionados**.

Además, ya oye bien; capta **el sonido de tu voz** y de la música. Los ruidos fuertes lo sobresaltan.

Su corazón late con fuerza suficiente para que tu ginecólogo pueda oírlo con **un estetoscopio** (uno fetal, de esos que parecen un pequeño megáfono). Su **frecuencia cardíaca varía** en función de lo que ocurre en el exterior.

## lo que debes saber sobre... la ecografía de la semana 20

- Por esas fechas, te harán una ecografía para comprobar que tu bebé está bien formado. Examinarán las distintas partes de su cuerpo y señalarán cualquier posible problema, como las anomalías cerebrales, la comunicación interventricular congénita y la fisura del paladar (labio leporino).
- Por supuesto, la mayoría de las veces el resultado es normal. De todos modos, vale la pena tener en cuenta que ninguna prueba es infalible.
- También hay que pensar que a veces surgen problemas aparentes que quedan descartados con ecografías posteriores u otras pruebas.

# tu bebé

Tu pequeño pesa unos **300 g** y mide **16 cm**.

Cuando traga líquido amniótico, sus **papilas gustativas** reciben trazas diminutas de los alimentos que tú has comido.

Sus **intestinos** digieren lo que traga, por lo que empieza a acumular residuos.

Aunque **todavía tiene los ojos cerrados**, es probable que distinga la luz de la oscuridad.

Su **memoria se está desarrollando** y las experiencias tienen en él un efecto permanente. Cuando nazca, le resultarán familiares el **sonido de tu voz** y los sabores de los alimentos que comes habitualmente, lo cual te ayudará a la hora de darle el pecho.

# tu cuerpo

Aunque es probable que solo hayas engordado unos pocos kilos, **no cabe duda de que tu cuerpo está cambiando**. Te sientes diferente y tal vez tu aspecto sea **exuberante**. Tu **barriga crece más deprisa**, alrededor de 1 cm a la semana, y mantendrá ese ritmo hasta la semana 36.

## lo que debes saber sobre... la placenta previa

- Si la placenta se encuentra en la parte inferior del útero se llama placenta previa. En casos extremos, puede llegar a ocluir el cuello del útero; entonces tendrán que practicarte una cesárea para evitar que te desangres durante el parto.
- Si en alguna ecografía previa han detectado que tu placenta ocupa una posición baja, te harán más para controlar la evolución.
- Aunque la placenta se encuentre baja, durante el embarazo puede ascender y hacer posible un parto normal.

semana 22

# lo que ocurre en el interior

Ahora tu bebé mide **19 cm** y pesa más o menos **350 g**. Se han desarrollado las glándulas sudoríparas, y todo él está activo. **Su cerebro crece con rapidez**, y el número de células aumenta.

Los niños tienen **unos pocos espermatozoides incipientes**, mientras que las niñas tienen unos **seis millones de óvulos**.

Además de propinarte patadas y puñetazos, tu bebé da vueltas, cruza y descruza las piernas, extiende los brazos e incluso **se chupa el pulgar**.

A veces se mueve menos, ya que cuenta con un **ciclo de sueño-vigilia** al que acabarás acostumbrándote. Las investigaciones muestran que los bebés **sueñan dentro del útero**, pero sus sueños no deben de ser muy interesantes, debido a la escasa experiencia que atesora antes de nacer.

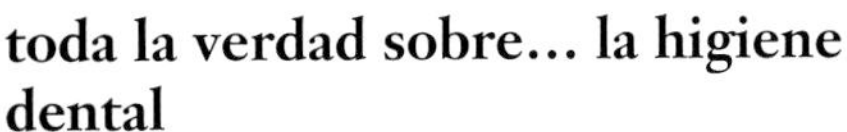

## toda la verdad sobre... la higiene dental

Debido a los estrógenos, tus encías pueden hincharse y sangrar. Esto último suele ocurrir durante el cepillado, aunque también podrías descubrir que tienes sangre en los labios al despertar por la mañana.

- Sigue limpiándote los dientes, pero con un cepillo más blando de lo habitual.
- Límpiate con hilo dental si sabes hacerlo; pero ten cuidado, pues la seda dental corta mucho.
- Pide hora en el dentista para que te hagan una revisión durante el embarazo. Si dejas pasar los meses, es probable que luego no tengas tiempo.

semana 23

# lo que ocurre en el interior

Tu bebé pesa unos **450 g**. Mide **20 cm** (longitud céfalo-nalgas), pero cuenta con **medio litro de líquido amniótico** para estirarse. Tu **vinculación afectiva** con él crecerá al notar sus movimientos.

Su **piel todavía está arrugada** porque no tiene mucha grasa, pero ya la constituyen cuatro capas. El lanugo va oscureciendo.

Aún tiene los ojos cerrados. Sin embargo, **oye muy bien** y empieza a conocer la voz que percibe más a menudo: la tuya.

Puede que sus pulmones sean inmaduros, pero eso no le impide practicar **movimientos respiratorios**.

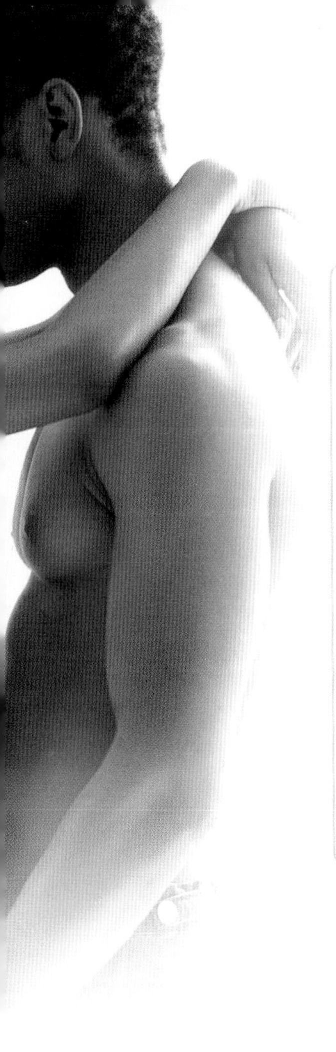

## toda la verdad sobre... el sexo durante el embarazo

Algunas embarazadas están sexualmente muy activas, mientras que otras en lo último que piensan es en el sexo. Puede que a tu pareja le vuelva loco tu figura, o puede que tema hacer daño al bebé.

Tu pequeño te oye y es posible que después de practicar sexo se mueva más. Sin embargo, no debe preocuparte «hacerlo» en su presencia.

A menos que tengas hemorragias, placenta previa u otras complicaciones, el sexo no te hará ningún daño y puedes seguir practicándolo durante el tercer trimestre. Si la barriga es un obstáculo, prueba nuevas posturas: de lado, en la postura de las cucharas...

semana 24

# tu bebé

Si te encuentras en esa semana, tu hijo es un humano en miniatura que mide **21 cm** (longitud céfalo-nalgas) y pesa unos **550 g**.

Aún tiene los pulmones inmaduros, pero estos segregan una sustancia llamada «surfactante», que le ayudará a introducir aire en ellos cuando nazca. Si tu bebé naciera ahora, con el cuidado de los expertos probablemente sobreviviría.

# tu cuerpo

Tal vez te preguntes cómo te las arreglarás para **resistir** dieciséis semanas más con el bebé a cuestas. Es posible que a estas alturas estés **cansada**, que los esfuerzos te dejen sin aliento y que **te falte «fuelle»**. Eso se debe a que tu corazón trabaja un cuarenta por ciento más que antes del embarazo. Trata de **descansar con las piernas en alto** durante el día. Si el cansancio te vence, habla con tu ginecólogo; podrías tener **anemia**.

## toda la verdad sobre... el trabajo

Muchas mujeres empiezan la baja maternal sobre la semana 30, pero algunas siguen trabajando y prefieren reservarse la baja para después del parto. Todo depende de cómo os encontréis tú y tu bebé, y también del trabajo que realices. Levantar peso, pasar muchas horas de pie y trabajar durante largas jornadas o por turnos entraña un riesgo potencial para tu hijo. Lo mismo ocurre con la exposición a sustancias tóxicas o a infecciones.

Tal vez tu jefe te permita cambiar de tarea y/o de horario. Si resulta imposible, tal vez debas iniciar antes la baja maternal. En caso de que no consigas llegar a un acuerdo amistoso, ponte en contacto con el Instituto de la Mujer, con el comité de empresa si lo hay y/o con el ginecólogo o el médico de cabecera.

# lo que ocurre en el interior

Tu bebé pesa alrededor de **720 g** y mide unos **22 cm**. Las cifras varían de un niño a otro incluso antes de nacer. Por eso las ecografías que se practican hacia la mitad del embarazo, aunque proporcionan información muy detallada, no son útiles para **calcular la edad fetal**.

A partir de ahora tu hijo **irá engordando y adoptando una forma más redondeada**. Por su aspecto actual se diría que está famélico; pero cuando salgas de cuentas, será tan **tierno y adorable** como esperas.

Hace mucho ejercicio, mueve sus delgados brazos y piernas de aquí para allá. Es posible que reaccione cuando el ginecólogo te examina. **Unos bebés están más activos que otros** en el útero, pero lo que nadie sabe con certeza es si seguirán igual cuando nazcan.

## lo que debes saber sobre… la preeclampsia

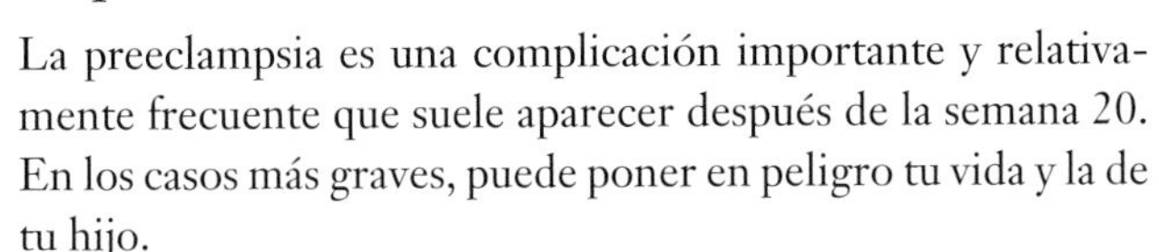

La preeclampsia es una complicación importante y relativamente frecuente que suele aparecer después de la semana 20. En los casos más graves, puede poner en peligro tu vida y la de tu hijo.

El origen es un problema placentario; las consecuencias hipertensión arterial y exceso de proteínas en la orina.

Estate atenta si tienes:

- Dolores de cabeza fuertes
- Visión borrosa
- Dolor en la parte alta del abdomen
- Hinchazón en las manos y en los pies

No obstante, no puedes diagnosticar la preeclampsia por ti misma, lo cual es un buen motivo para seguir los exámenes prenatales.

Por el momento no se conoce ningún tratamiento y en ocasiones es necesario hacer nacer al niño prematuramente.

# tu bebé

Ahora tu bebé mide unos **23 cm** y pesa aproximadamente **950 g**.

En su cerebro, las neuronas empiezan a recubrirse de **mielina**. Esa sustancia, que está formada por grasa y proteínas, aísla el nervio y acelera la conducción de los estímulos. Por eso tu pequeño responde más rápido a los sonidos, al tacto y a la luz intensa. Es posible que incluso se balancee al compás de la música.

# tu cuerpo

Tu vientre ya sube por encima del ombligo; sin embargo, tu cerebro va de capa caída. Si tu agudeza mental ha disminuido, no es sin motivo. Las exploraciones muestran que el cerebro de las mujeres se encoge durante el embarazo. Aunque las investigaciones no son concluyentes, parece ser que el órgano recupera después su tamaño normal.

La natación es un ejercicio estupendo durante prácticamente todo el embarazo, y puede reducir la ansiedad y también los pequeños dolores y trastornos. Pero ten en cuenta que a estas alturas te hará falta un traje de baño premamá.

## lo que debes saber sobre... los gemelos

Si esperas gemelos, probablemente sentirás mucho más las pequeñas molestias del embarazo, y también notarás muchas más patadas.

Hasta la semana 28 más o menos, los gemelos suelen crecer al mismo ritmo que los niños de un embarazo único. Después, lo normal es que el crecimiento se ralentice. En los embarazos múltiples, suelen realizarse ecografías con mayor frecuencia que en el caso de los embarazos únicos.

# tu bebé

Pesa **1 kg** y mide **24 cm**, como un melón pequeño. La retina y el iris están totalmente formados, o sea, que **sus ojos ya están desarrollados**. Tiene largas pestañas y los párpados están preparados para abrirse. De hecho, a estas alturas ya **parpadea** con frecuencia.

# tu cuerpo

Pueden aparecer síntomas desagradables a causa del crecimiento del bebé y de la hormona progesterona, que produce un efecto relajante sobre el esófago y los vasos sanguíneos.

**La acidez de estómago puede aparecer en cualquier momento del embarazo, pero a veces empeora al aumentar el volumen del vientre.**

- Come pequeñas cantidades y a menudo.
- Bebe leche para neutralizar la acidez.
- Evita las comidas muy condimentadas y cenar tarde.

**Las hemorroides pueden producir picor e hinchazón palpable en el ano, incluso podrías observar sangre de color rojo intenso al hacer de vientre.**

- El estreñimiento empeora las cosas, así que come mucha fruta y verdura.
- Pide a tu farmacéutico o al médico de cabecera que te recomiende una pomada o unos supositorios para aliviar los síntomas.

**Las venas varicosas se parecen a las hemorroides, aunque aparecen en lugares distintos. Quizá al final del día tengas unos bultos azulados o picor.**

- Mantente activa.
- Cuando permanezcas de pie, ve cambiando el peso de una pierna a la otra para que los músculos se muevan.
- Sentada, pon las piernas en alto.
- Las medias de compresión resultan útiles.

# LA RECTA FINAL

*El tercer trimestre — de la semana 28 a la 42*

Durante los tres meses finales, el cuerpo de tu bebé obtiene los últimos retoques. A medida que pasan las semanas, es posible que cada vez tengas más ganas de que el tiempo pase deprisa y nazca ya, para así volver a tener tu cuerpo para ti sola.

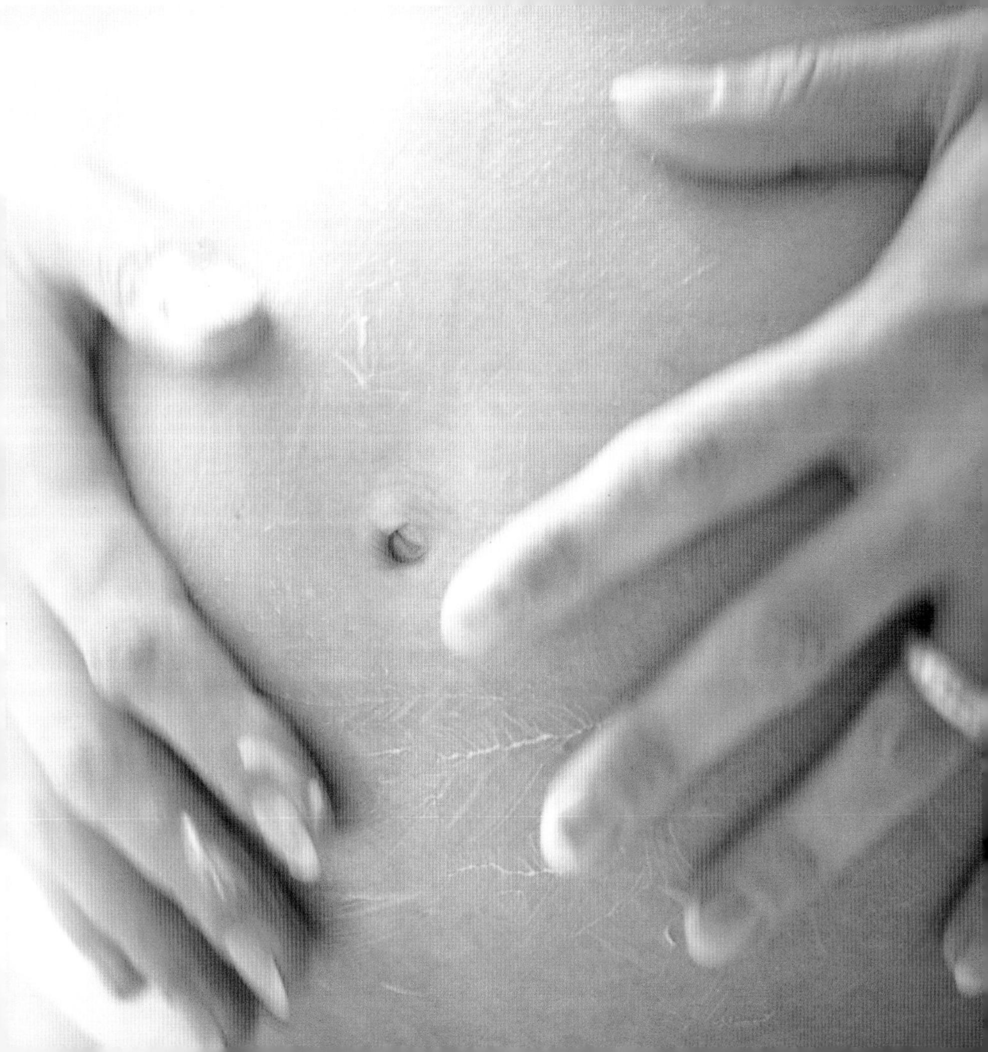

# lo que ocurre en el interior

Tu bebé ya mide **25 cm** (longitud céfalo-nalgas) y pesa **1,1 kg**.

El vérnix se ha desarrollado por completo. En la cabeza **le crece un pelo muy fino**, mientras que el lanugo del cuerpo empieza a caérsele.

Si es un niño, ya tiene los **testículos** en el escroto.

Si esperas una niña, su **vagina** está totalmente formada, pero la vulva todavía tiene que acabar de desarrollarse.

## lo que debes saber sobre… la incompatibilidad Rh

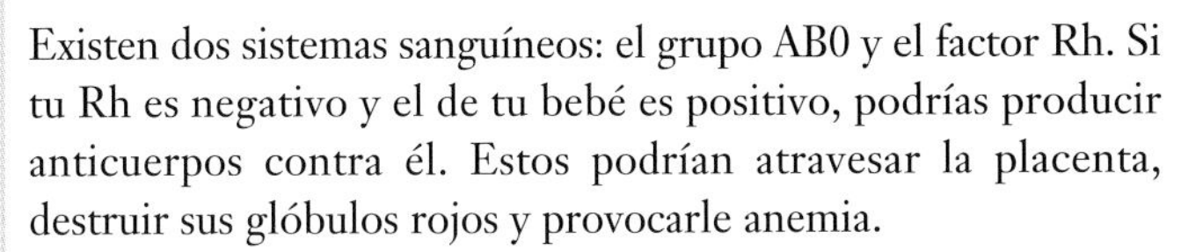

Existen dos sistemas sanguíneos: el grupo AB0 y el factor Rh. Si tu Rh es negativo y el de tu bebé es positivo, podrías producir anticuerpos contra él. Estos podrían atravesar la placenta, destruir sus glóbulos rojos y provocarle anemia.

Por otra parte, aunque algunas células de tu bebé pasen a tu sistema circulatorio, los anticuerpos que produces no llegarán a afectar al niño en el primer embarazo. No obstante, una vez que han empezado a desarrollarse, los anticuerpos pueden interferir en futuras gestaciones.

Por eso, si tu Rh es negativo, te aplicarán una inyección de gammaglobulina anti-D para limpiar tu sangre de células del bebé y prevenir la producción de anticuerpos.

La gammaglobulina anti-D suele administrarse en las semanas 28 y 34, y también tras el parto.

También es aconsejable utilizar la gammaglobulina anti-D si te sometes a alguna técnica que ponga en contacto la sangre de tu bebé con la tuya, como la biopsia corial o la amniocentesis.

semana 29

# tu bebé

Mide **26 cm** (longitud céfalo-nalgas) y pesa **1,25 kg**. Su cerebro crece con rapidez y en la parte más externa se forman elevaciones y surcos, que técnicamente se denominan *gyri* y *sulci* y que dan al cerebro su aspecto de **nuez**.

Los ojos de tu bebé ya enfocan un poco; aunque incluso después de nacer, **su visión será limitada** y la distancia a la que mejor verá será de 20 cm.

# tu cuerpo

Tu **barriga continúa creciendo** 1 cm por semana aproximadamente, pero todavía no ha llegado a su límite.

A partir de ahora puedes notar los pechos muy pesados. Por la noche te sentirás más cómoda si utilizas sujetador.

Si andas como un pato y te cuesta mantener el equilibrio, la razón es que tu **centro de gravedad** ha cambiado. Llevar zapatos planos te ayudará.

**Descansa con los pies en alto** todas las tardes. Esta práctica aumenta el riego sanguíneo placentario y así **os beneficia a ambos**. Si sigues trabajando, búscate un hueco en mitad de la jornada para dicha actividad.

## toda la verdad sobre... las clases de educación maternal

Ha llegado el momento de asistir a un curso de educación maternal. En las clases se trabaja tu bienestar físico y también la preparación emocional. El marco de las sesiones es informal; pero son clases en toda regla, así que no te las saltes.

# tu bebé

Han transcurrido tres cuartas partes del embarazo y tu niño está más rollizo. Pesa alrededor de **1,4 kg** y mide **27 cm** (longitud céfalo-nalgas). Con las piernas estiradas, mide más de **40 cm**.

Es probable que tu hijo se encuentre cabeza abajo, en la llamada «presentación cefálica». Si se encuentra de **nalgas** (presentación podálica), hasta la semana 36 aproximadamente está a tiempo de darse la vuelta. Tu ginecólogo te dirá cuál es su posición.

La mayoría de las veces, **el bebé se mantiene con la cabeza hacia abajo** y las piernas encogidas, excepto cuando pone en práctica sus habilidades pugilísticas y futbolísticas.

**Sus pulmones aún no están suficientemente maduros** porque no hay suficiente surfactante (véase p. 60).

# tu cuerpo

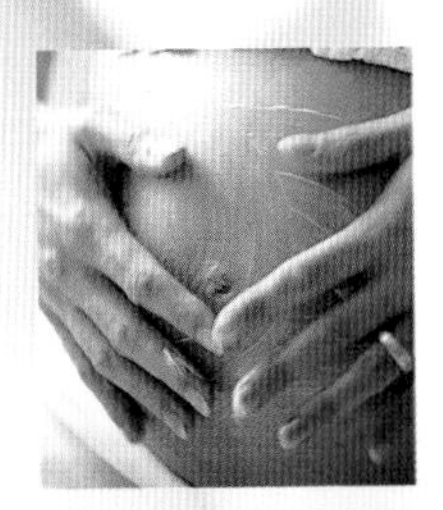

**Pueden aparecer unas líneas** de color intenso (rojo o purpúreo) **en el vientre, los muslos e incluso los pechos**, y seguro que lamentas no haberte cubierto de cremas y lociones durante los últimos meses. No te preocupes; **aplicarte crema** no te hará ningún daño, pero **es probable que tampoco te sirva de mucho**. La propia elasticidad de la piel es lo que determina si tras el parto aparecerán **estrías**.

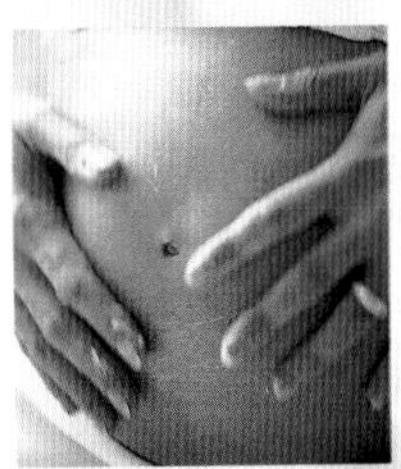

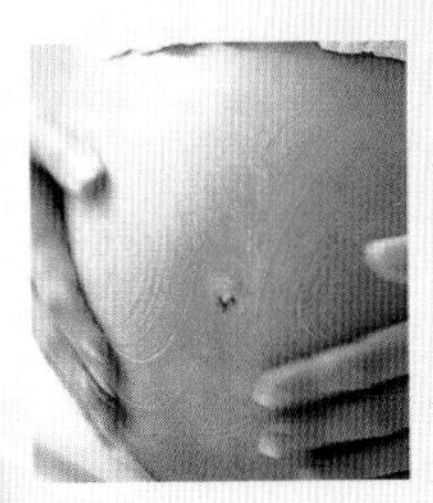

Hay mujeres que no las tienen aunque esperen gemelos y ganen 30 kg. Si no te han salido, es que has sido **agraciada con los genes apropiados**. Si, por el contrario, tienes estrías, estate tranquila: las líneas con el tiempo se vuelven **más estrechas y nacaradas**, y por lo tanto mucho menos visibles.

semana 31

# tu bebé

Ahora mide unos **28 cm** (longitud céfalo-nalgas) y pesa más o menos **1,6 kg**. Tiene la piel más tersa porque bajo ella hay más grasa.

En los pulmones, la cantidad de **surfactante** aumenta, lo que luego lo ayudará a respirar.

Está muy activo, y es posible que de noche se mueva más. **Su cerebro también está activo** y muy ocupado estableciendo más conexiones. Como resultado, empieza a construir **recuerdos**. Tal vez desees hablarle, cantarle o ponerle **tu música favorita**. Puede que cuando crezca, no comparta tus gustos; pero por intentarlo no pierdes nada.

## toda la verdad sobre… las emociones

Esta parte da un poco de miedo, pero no sirve de nada eludirla. Da igual cuántos libros leas acerca de la maternidad, pues no te darás cuenta de lo que realmente significa hasta que llegue el momento. Un bebé te cambia la vida para siempre, y no es una cuestión que afecte solo a las madres, ya que los padres también lo notan.

La relación con tu pareja se ve modificada; es posible que se vuelva más estereotipada. La mujer es antes madre que esposa o amante, y el padre se convierte en el único sostén de la familia, al menos temporalmente.

La vida cobra otro sentido y también se disfruta más, pero cobra mayor seriedad porque es más lo que está en juego. Vale la pena comentar con antelación los reajustes emocionales, financieros y prácticos a los que ambos tendréis que enfrentaros.

semana 32

# tu bebé

Ahora pesa **1,8 kg** y mide **29 cm** (longitud céfalo-nalgas).

Su rostro es cada vez más expresivo y a veces **saca la lengua**. Dentro de sus reducidos dominios, utiliza los sentidos; saborea el líquido amniótico, escucha con atención y también **se vale de indicios visuales**.

Como cada vez dispone de menos espacio para moverse, si está cabeza abajo notarás perfectamente sus patadas cerca de tus costillas.

También se toca la cara y agarra el cordón umbilical. Es posible que incluso **notes** sus **inofensivas uñas** rozar tu interior. Si esperas dos hijos, es probable que se den **golpes y patadas mutuamente**; pero tampoco entre ellos se hacen daño.

# tu cuerpo

Es posible que tu aspecto **decline** un poco.

Si estás mucho tiempo de pie o acostada boca arriba, tal vez te sientas mareada porque afluye menos sangre a tu corazón. **Evita pasar mucho tiempo de pie**. En la cama, acuéstate de lado para que el peso del bebé no oprima tus vasos sanguíneos.

El picor de la piel puede **aliviarse con emolientes**. Si te pican las palmas de las manos o las plantas de los pies, coméntalo con tu ginecólogo, pues podría tratarse de un síntoma de colestasis obstétrica. Se trata de una afección del hígado poco frecuente, aunque grave, que puede iniciarse con picor intenso en las manos y los pies.

**Las contracciones de Braxton-Hicks** preparan las de verdad. No son dolorosas ni provocan la dilatación del cuello del útero.

# tu bebé

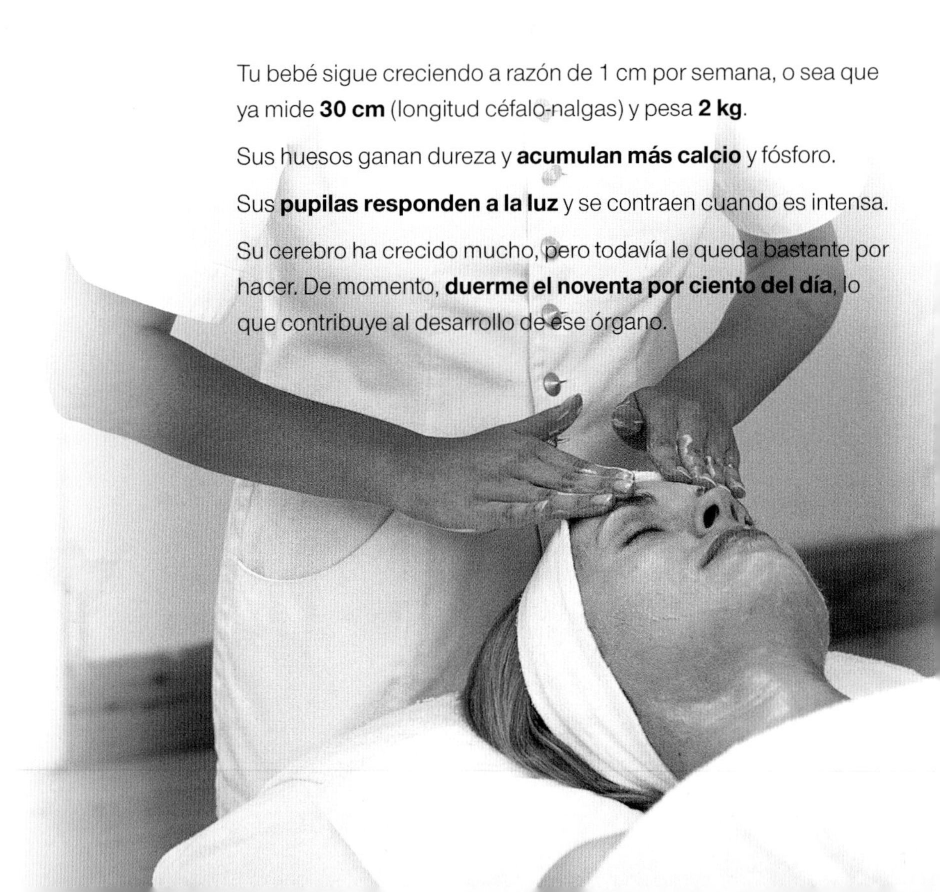

Tu bebé sigue creciendo a razón de 1 cm por semana, o sea que ya mide **30 cm** (longitud céfalo-nalgas) y pesa **2 kg**.

Sus huesos ganan dureza y **acumulan más calcio** y fósforo.

Sus **pupilas responden a la luz** y se contraen cuando es intensa.

Su cerebro ha crecido mucho, pero todavía le queda bastante por hacer. De momento, **duerme el noventa por ciento del día**, lo que contribuye al desarrollo de ese órgano.

# tu cuerpo

Has ganado 9 kg como mínimo. Tu hijo y la placenta representan más o menos la mitad de ese peso, y **debido a las hormonas del embarazo**, el resto es tuyo. Solamente el útero pesa 800 g, a diferencia de los 70 g de antes del embarazo.

A veces notas el vientre **tirante**, sobre todo si caminas o haces algún esfuerzo. Tómalo como una señal para descansar con los pies en alto.

Si tu bebé está de nalgas, puedes **contribuir a que se dé la vuelta** poniéndote a ratos a cuatro patas, con la cabeza más baja que la pelvis.

## ideas para sentirte bien

- Regálate una manicura, una pedicura o un tratamiento facial (di que estás embarazada, ya que no todos los productos son apropiados).
- Ve a la peluquería. Los reflejos no suelen entrañar riesgo durante el embarazo, pero los tintes que tocan el cuero cabelludo pueden no resultar inofensivos.
- Planea una salida que no pueda hacerse con niños; da igual que vayas al cine o de fin de semana. Luego te resultará más difícil.

semana 34

# lo que ocurre en el interior

Ahora tu bebé pesa **2,3 kg** y mide unos **32 cm** (longitud céfalo-nalgas). Casi un quince por ciento de su peso es grasa, así que ya tiene un aspecto adorable.

Su **sistema inmunológico** está madurando, lo que incluye los ganglios linfáticos, el bazo, las amígdalas y las adenoides. Aunque recibe de ti muchos **anticuerpos** a través del cordón umbilical, es importante que tenga activas sus propias defensas **para combatir las infecciones** cuando nazca.

## toda la verdad sobre… el instinto de nido

Si todavía no te ha asaltado, llegará un momento en que sentirás la necesidad de preparar la habitación del bebé, hacer sitio en los cajones, pintar las paredes y cosas parecidas. Puede que tengas poca energía, y también poco tiempo si tu bebé nace antes de lo previsto, por lo que no es aconsejable que te embarques en grandes y agotadores proyectos. No obstante, ten preparadas cosas básicas como:

- la cuna y la ropa de cama
- algunas prendas de bebé como peleles, calcetines, bodis, chaquetas de punto y gorritos
- pañales
- el cochecito o la sillita
- la bañera.

Si, como muchas futuras mamás, eres supersticiosa, limítate a elegir las cosas que te harán falta. Ve a ver tiendas y consulta páginas de venta por internet. Luego puedes optar por dejar las compras para tu pareja o, si el plazo de entrega es lo bastante corto, encargarlas a última hora.

# tu bebé

Mide **33 cm** (longitud céfalo-nalgas) y pesa un poco más de **2,5 kg**.

La cantidad de células adiposas aumenta con rapidez, sobre todo en la zona de los hombros. El pelo le ha crecido hasta **4 cm**, y ya es moreno o rubio.

Dispone de menos espacio para moverse, pero todavía hay mucho líquido amniótico. Este **amortigua la mayor parte de los sonidos** que percibe; pero tu voz le llega con claridad puesto que, además de oír, tu bebé capta las **vibraciones**.

# tu cuerpo

La barriga se eleva hasta el extremo inferior del esternón, sin dejarte **ver los pies**.

Ahora que tu centro de gravedad se encuentra mucho más adelantado, **es posible que te duela la espalda** como consecuencia de la tensión. La natación te aliviará y te ayudará a mantenerte en forma. Para paliar el dolor, también puedes colocarte en el suelo a cuatro patas y **estirar y arquear alternativamente la espalda como un gato**.

A estas alturas son bastante frecuentes las pérdidas de orina, sobre todo **si pasas mucho tiempo de pie**. Si además notas escozor, consulta con tu ginecólogo, pues podría tratarse de una infección.

Tanto si tus pezones ya producen calostro como si no, procúrate pronto un **sujetador de lactancia**.

semana 36

# tu bebé

Pesa **2,75 kg** y mide **34 cm** (longitud céfalo-nalgas). Con las piernas estiradas, mediría cerca de 50 cm.

Ahora pasa la mayor parte del tiempo **despierto**. Dirías que te va conociendo cada vez más. De hecho, **podría nacer en cualquier momento** entra la semana 37 y 42.

# tu cuerpo

Cuando el bebé se mueve, en tu barriga aparecen extraños **bultos**. Todavía puede darse la vuelta, pero es poco probable que, si está de nalgas, cambie a una **presentación cefálica** por la sencilla razón de que no tiene espacio.

## lo que debes saber sobre... los gemelos

- Un embarazo múltiple se completa en la semana 37. Los gemelos suelen pesar 2,5 kg cada uno. El peso de los niños suele ser mayor que el de las niñas, y los gemelos idénticos suelen pesar un poco menos que los no idénticos (bivitelinos).
- Aun en un parto prematuro, los niños de un embarazo gemelar suelen salir adelante con más facilidad que los de uno único.
- El sesenta por ciento de los gemelos nacen por cesárea, pues hay más riesgo para ellos. En gran parte, depende de su posición en el momento del parto. Si se encuentran cabeza abajo (presentación cefálica), es probable que tengas un parto vaginal a menos que sean prematuros o existan otros problemas.

semana 37

# tu bebé

El desarrollo de tu hijo está prácticamente completado, a excepción de los **pulmones** y el **cerebro**. Ya mide **35 cm** (longitud céfalo-nalgas) y pesa unos **2,95 kg**. A menudo se dice que el crecimiento es menor en el último mes o los últimos dos meses, pero lo cierto es que tu bebé sigue ganando unos **250 g** a la semana.

# tu cuerpo

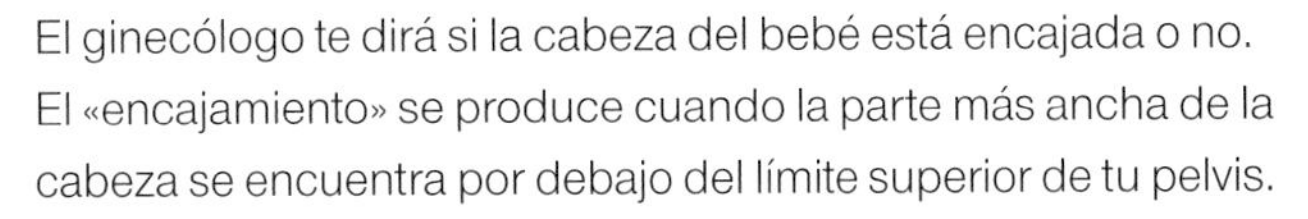

El ginecólogo te dirá si la cabeza del bebé está encajada o no. El «encajamiento» se produce cuando la parte más ancha de la cabeza se encuentra por debajo del límite superior de tu pelvis.

Cuando eso ocurre, es posible que notes cierta estrechez en la pelvis y tengas que orinar más a menudo.

Te costará más caminar sin tambalearte y te resultará prácticamente imposible sentarte con las piernas cruzadas. La parte positiva es que la opresión de las costillas disminuye.

## toda la verdad sobre... cómo ocupar el tiempo en cosas útiles

- Si no te traen la compra a casa, solicítalo. Te ahorrará un tiempo precioso cuando tu bebé esté en casa.
- Piensa qué nombre vas a ponerle a tu hijo si todavía no lo has hecho. Así no tendrás que pasarte dos semanas llamándolo «bebé» o «cuchi cuchi» hasta que tu pareja y tú os pongáis de acuerdo.
- Ten el equipaje preparado y a la vista (véase p. 101). Con los nervios del momento, es fácil que se te olvide.

# lo que ocurre en el interior

Tu bebé mide **36 cm** (longitud céfalo-nalgas) y pesa **3,25 kg**. Tiene más grasa, e incluso ha echado un poco de barriga.

Es posible que su cabeza ya esté muy introducida en tu pelvis.

Tiene **300 huesos**, más que tú, ya que algunos se soldarán entre ellos a medida que crezca.

Sus intestinos producen **meconio**, una sustancia viscosa de color verde oscuro formada por células muertas, líquido amniótico y el **lanugo** perdido.

Mientras tanto, la placenta se deteriora gradualmente debido a la confianza que tu bebé deposita en **su próximo medio de vida**: tú.

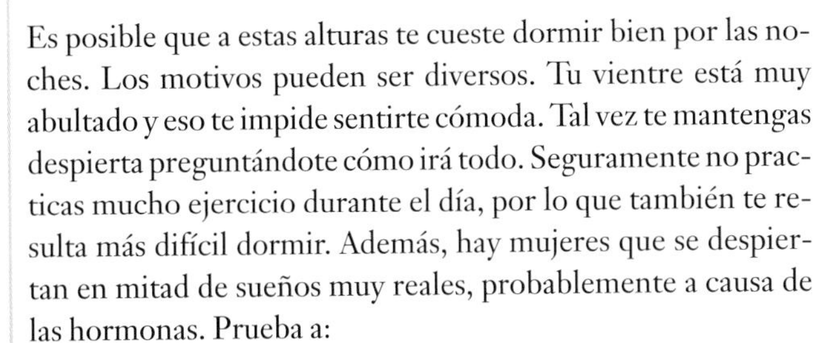

## toda la verdad sobre… el insomnio

Es posible que a estas alturas te cueste dormir bien por las noches. Los motivos pueden ser diversos. Tu vientre está muy abultado y eso te impide sentirte cómoda. Tal vez te mantengas despierta preguntándote cómo irá todo. Seguramente no practicas mucho ejercicio durante el día, por lo que también te resulta más difícil dormir. Además, hay mujeres que se despiertan en mitad de sueños muy reales, probablemente a causa de las hormonas. Prueba a:

- tomar un vaso de leche templada
- practicar ejercicios de relajación
- colocarte un par de cojines debajo del vientre para estar más cómoda.

Si todo falla, quédate tumbada y descansa. No te sentará igual que dormir, pero es lo que más se le parece.

semana 39

# tu bebé

Pesa unos **3,4 kg** y mide aproximadamente **37 cm** (longitud céfalo-nalgas).

Su sistema inmunológico está madurando para poder **combatir las infecciones** del mundo exterior.

En su cerebro se forman **nuevas conexiones**.

Aparte de eso, no ha cambiado mucho desde la semana anterior. Está **listo y a la espera**. Se encuentra un poco apretado pero aún puede dar patadas. Se pasa el tiempo **chupándose el pulgar**, haciendo muecas y practicando los movimientos respiratorios y reflejos.

# tu cuerpo

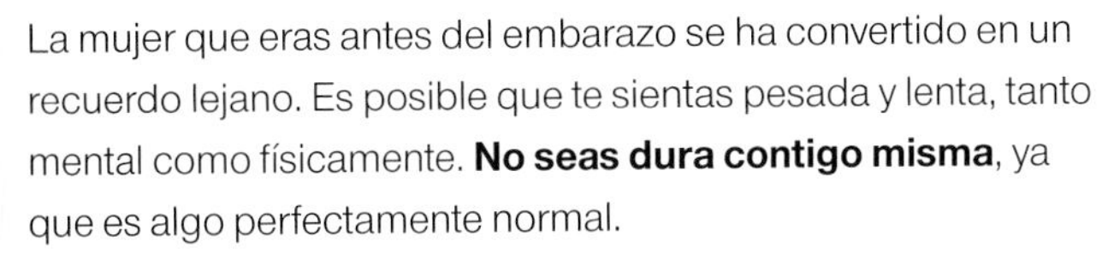

La mujer que eras antes del embarazo se ha convertido en un recuerdo lejano. Es posible que te sientas pesada y lenta, tanto mental como físicamente. **No seas dura contigo misma**, ya que es algo perfectamente normal.

Si sientes la necesidad de mantenerte activa, dedícate a **cocinar y congelar la comida** para después del parto.

Asegúrate de tener **la cámara a punto** y con la batería cargada para que el acontecimiento no te coja desprevenida.

Como los bebés nacen **cuando a ellos les conviene**, es mejor no hacer previsiones, y así llegará rápido.

## lo que debes saber sobre... el ritmo cardíaco de tu bebé

Su corazón late a 120-160 pulsaciones por minuto. Por la frecuencia no puede saberse si es niño o niña, pero esta varía en función de lo activo que esté.

# tu bebé

Ahora tu bebé mide unos **38 cm** (longitud céfalo-nalgas), pesa **3,5 kg** y **está listo para nacer**.

Ha perdido casi todo el lanugo.

Realiza movimientos respiratorios, pero **su corazón y su sistema circulatorio** no **terminarán de madurar** hasta que aspire aire. El ventrículo izquierdo bombeará sangre rica en oxígeno, y el derecho enviará la sangre sin oxígeno a los pulmones para recibir más.

La placenta constituye solo un quince por ciento del **peso de tu hijo**.

Tiene los intestinos llenos, así que pronto necesitará un cambio de pañal.

Hay mujeres que creen oír **llorar a su bebé en el vientre**, pero esto no es más que un mito. Para producir cualquier sonido con las **cuerdas vocales**, necesita aire.

# tu cuerpo

Es probable que te sientas inmensa e impaciente. No parece que tenga mucho sentido hacer planes, pues **el parto puede iniciarse en cualquier momento**. Sin embargo, los días se te harán eternos a menos que tengas alguna actividad prevista; además, si es necesario, siempre puedes cancelarla.

La mayor parte del peso recae sobre la pelvis, **donde tendrá lugar la acción**. Es posible que sufras diarrea y dolor en la parte baja de la espalda.

También puedes sufrir una **pérdida** de color rojo o rosado. Se trata de la expulsión del tapón mucoso, que tiene lugar cuando **el cuello del útero madura y empieza a dilatarse**. Luego se producirán las contracciones, aunque no se sabe exactamente cuándo.

¿Tu bebé es de los que **se hacen esperar**? Son cosas que pasan. De hecho, es de lo más normal que un bebé nazca entre dos semanas antes y dos después de la fecha probable de parto (FPP).

Si pasa demasiado tiempo una vez que hayas salido de cuentas, te harán revisiones a menudo para comprobar que todo va bien. En ellas **escucharán el latido del corazón de tu bebé** y te practicarán una ecografía para evaluar que la cantidad de líquido amniótico es normal, lo cual es un signo de **bienestar fetal**.

Tal vez a estas alturas estés harta del embarazo. Por desgracia, muchas mujeres también sienten horror ante la posibilidad de que el **parto** sea **inducido**.

## lo que debes saber sobre… la inducción del parto

El parto suele entrañar más riesgo tanto para la madre como para el hijo si se retrasa en exceso. Por eso, si pasa la semana cuarenta y dos y no te has puesto de parto, es probable que:

- te administren prostaglandinas por vía vaginal
- te rompan la bolsa de las aguas
- te administren oxitocina por goteo.

Ninguno de esos métodos es tan horrible como parece. Muchas mujeres prefieren probar con métodos naturales como:

- tomar comida picante
- viajar en coche por una carretera llena de baches
- dar largos paseos
- practicar sexo
- estimularse los pezones
- tomar té de frambuesa
- hincharse de piña natural (contiene una enzima que, según parece, puede provocar contracciones).

Lo único que parece funcionar es el sexo, que no deja de ser una forma agradable de administrar prostaglandinas en la misma zona en que pronto lo haría el ginecólogo.

# EL PARTO Y EL NACIMIENTO

Este es el momento más emocionante y productivo de todo el embarazo. Es un tumulto de hormonas y de acción (a ser posible la tuya, no la de los médicos). Pero sea cual sea la forma en que des a luz, su culminación es el momento mágico en que abrazas a tu hijo por primera vez.

# preparándote para el parto

En cierto modo, durante los últimos ocho meses (y, posiblemente, los últimos años) has estado preparándote para el parto. Sin embargo, hay cosas que requieren un poco más de reflexión.

## EL PLAN DE PARTO

Un plan de parto puede incluir tus deseos sobre cómo quieres que transcurran las cosas. ¿Quieres caminar mientras dilatas? ¿Que te hagan un masaje? ¿Deseas evitar la monitorización intensiva o la episiotomía? ¿Quieres cortar tú misma el cordón umbilical? ¿Te gustaría guardarte la placenta de recuerdo? ¿O tal vez deseas que te pongan la epidural en cuanto hayas dilatado lo imprescindible?

Ciertas cosas, como una piscina de partos, deben planearse con antelación, y no basta con anotarlas en el plan de parto. Sin embargo, decidas lo que decidas, trata de ser flexible cuando llegue el momento y permite alguna desviación del plan si te dan buenas razones para ello. Cada parto es diferente, y hay que reconocer que lo que más importa es que la experiencia resulte segura para tu bebé.

## EL EQUIPAJE PARA EL HOSPITAL

Es recomendable tener siempre el equipaje preparado. Aun en el caso de que decidas dar a luz en casa, podrían tener que llevarte al hospital. Incluye:

- Artículos para tu higiene personal
- Camisones y una bata
- Un sujetador de lactancia
- Unas zapatillas
- Discos de lactancia
- Ropa y pañales para el bebé
- Agua embotellada
- Algún tentempié (barritas energéticas, por ejemplo)
- Un aparato para escuchar música, si lo deseas
- Una esponja para enjugarte la frente
- Monedas para telefonear.

# el parto

**La primera fase** consiste en la dilatación del cuello del útero hasta un máximo de 10 cm.

En **la segunda fase**, el bebé desciende a través de la pelvis y viene al mundo.

**La tercera fase** consiste en la expulsión de la placenta.

Por suerte, solo las dos primeras fases implican un verdadero trabajo de parto.

Las señales de que estás de parto son:

- Las contracciones. Las primeras son irregulares.
- Romper aguas. Hay veces en que el líquido se pierde poco a poco y otras en que se moja toda la alfombra.
- Tener diarrea o dolor en la parte baja de la espalda.
- Expulsar el tapón mucoso.

Si no piensas dar a luz en casa, acude al hospital cuando tengas contracciones regulares y fuertes o si rompes aguas. Si no tienes claro qué hacer, llama a tu ginecólogo o al hospital.

### EL DOLOR

El dolor es algo muy subjetivo, y también lo es la manera de afrontarlo. Es posible que te parezca más intenso de lo que habías imaginado o, por el contrario, más soportable. Debes tener en cuenta que aliviar el dolor te ayudará a sentir que controlas el parto. Comenta las opciones con tu ginecólogo.

## lo que debes saber sobre... la monitorización durante el parto

Para controlar el bienestar de tu bebé, el personal médico:

- Escucha el latido de forma intermitente con un estetoscopio o mediante un *doppler*.
- Te coloca una correa en el abdomen para oír el corazón del bebé y tus contracciones (motorización electrónica).
- Aplica un electrodo diminuto sobre el cuero cabelludo del bebé y detecta su frecuencia cardíaca (monitorización directa del feto).

# el nacimiento

En la segunda fase, las contracciones son más largas e intensas, y sentirás la necesidad de empujar. Escucha las señales de tu cuerpo, a menos que el ginecólogo o la comadrona te indiquen que no empujes. Tras unos cuantos empujes intensos, saldrá la cabeza de tu hijo. El resto se deslizará con rapidez gracias a las hábiles manos de la comadrona.

La fase más aburrida del parto es la expulsión de la placenta, pero todavía te queda un poco de trabajo. Hay dos opciones. La primera es que te administren una inyección de oxitocina en una pierna, de modo que el útero se contraiga y la placenta se separe; luego, el ginecólogo o la comadrona la extraerán con cuidado. La otra opción es dejar que la naturaleza siga su curso, lo que puede implicar una hemorragia importante.

A algunas mujeres aún les queda una cuarta fase. Si has sufrido un desgarro o te han practicado la episiotomía, te suturarán con anestesia local (a menos que ya te hayan administrado la epidural). Los puntos se reabsorben con el tiempo, así que no tendrán que quitártelos.

## toda la verdad sobre... lo que no has planeado

El viaje de 10 cm a lo largo de la pelvis es el más peligroso de la vida de todo ser humano. Por eso a veces hace falta utilizar la ventosa o el fórceps, o practicar la cesárea. Si lo sabes de antemano, tendrás tiempo de hacerte a la idea. Si, en cambio, los planes cambian de repente, te costará más asumirlo. Durante el parto las cosas pueden suceder muy rápido, así que si necesitas respuestas, pregunta.

# a casa

Ahí estás tú, tal vez sudando y algo temblorosa; tienes al bebé acurrucado en el pecho, y unas etiquetas le cuelgan de una muñeca y de un tobillo para recordarte que es todo tuyo.

Está cubierto de vérnix, y también de un poco de sangre. Es posible que, según cómo haya ido el parto, tenga la cabeza aplastada. No obstante, a ti te sigue pareciendo lo más hermoso que has visto jamás.

La comadrona lo examina (y a ti también) inmediatamente después del parto, y un neonatólogo volverá a examinarlo de pies a cabeza antes de que os marchéis a casa.

El tiempo que pasarás en el hospital depende de cómo haya ido el parto, del trabajo que tengan en la maternidad y de tus circunstancias personales. Lo normal tras un parto vaginal es permanecer ingresada cuarenta y ocho horas. Después del parto, pide que te sirvan una bebida caliente y unas tostadas. Ese pequeño refrigerio es lo mínimo que mereces.

Cuando llegues a casa, no trates de hacerte cargo de todo. En algunas culturas, las nuevas madres no mueven un dedo durante las seis semanas que siguen al nacimiento del bebé. Por desgracia, esa costumbre no forma parte de la cultura occidental; pero aun así, puedes centrarte en atender a tu hijo. Deja las tareas domésticas para más adelante y aprovecha cualquier momento para recuperarte. Tu nueva e importantísima ocupación exigirá que estés en plena forma.

# direcciones de interés

## Instituciones, fundaciones y asociaciones

### Seguridad Social

www.seg-social.es
Para realizar cualquier tipo de consulta sobre las prestaciones de maternidad y paternidad o prestaciones familiares.

### Ministerio de Trabajo Y Asuntos Sociales

www.mtas.es
La página web del Ministerio de Trabajo y Asuntos Sociales proporciona datos estadísticos e información acerca de las ayudas sociales a la familia.

## Salud

Servicio de Información Telefónica para la Embarazada (SITE) 91 394 15 89
www.msc.es/ciudadanos/proteccionSalud/mujeres/embarazo/home.htm
Información y recomendaciones para mujeres embarazadas.

En la página web del Ministerio, en la entrada **http://www.msc.es/organizacion/sns/planCalidadSNS/pdf/excelencia/atencionParto/estrategiaPartoEnero2008.pdf,** se encuentra el documento de *Estrategia de atención al parto normal* de noviembre de 2007.

### Federación de Asociaciones de Matronas de España

www.federacion-matronas.org
La Federación tiene como objetivo promover la calidad del cuidado de la salud integral de la mujer, en especial en los aspectos de salud sexual y reproductiva, y promover la calidad del cuidado de salud del recién nacido.

### Liga de la Leche

www.laligadelaleche.es
La Liga de la Leche es una organización internacional no gubernamental sin ánimo de lucro, que ofrece información y apoyo a las madres que desean amamantar a sus hijos.

### El Parto es Nuestro

www.elpartoesnuestro.es
Asociación sin ánimo de lucro que pretende mejorar las condiciones de atención a madres e hijos durantes el embarazo, parto y posparto en España.

### Más páginas web

www.pangea.org/pdn/plataforma.html (plataforma pro derechos del nacimiento)
www.nacerencasa.org (asociación a favor del nacimiento domiciliario)
www.crianzanatural.com (información sobre embarazo, parto y crianza)
www.fedalma.org (Federación Española de Asociaciones pro Lactancia Materna)
www.aeped.es/lactanciamaterna (Comité de lactancia materna de la Asociación Española de Pediatría)
www.albalactanciamaterna.info (información y apoyo para la lactancia materna)
www.doulas.es (listado de doulas de toda España)
www.federacion-matronas.org (Federación de Asociaciones de Matronas de España)
www.groupbstrepinternational.org/espanol/index_e.html (página en español sobre la prevención de infecciones por estreptococo del grupo B)

# Índice alfabético

# créditos de las fotografías

**Debi Treloar** páginas 1, 2, 4, 5, 7, 18, 30, 43, 44, 48, 50-51, 58-59, 60, 62, 69, 70, 75, 76-77 (diseño de Gustavo Martínez Design + 1 212 686 3102), 79, 82, 84-85, 86, 90, 94, 95, guardas. **Dan Duchars** páginas 3, 13, 17, 26, 28, 37, 40, 54-55, 66-67, 72, 80, 98-99, 107. **Polly Wreford** páginas 24-25, 32, 34-35, 49, 101. © **stockbyte** páginas 21, 47, 52-53, 102. **Peter Cassidy** páginas 88-89. **Nicky Dowey** páginas 10, 12. **Chris Everard** páginas 9, 64-65. **Winfried Heinze** páginas 105, 106. **Richard Jung** páginas 96-97. **William Lingwood** páginas 19, 23. **David Montgomery** páginas 27, 56-57. **James Merrell** páginas 92-93. **Martin Brigdale** página 11. **Chris Tubbs** página 15.

GARFIELD COUNTY
LIBRARIES
www.gcpld.org